Mond vol demonen

Deze bundel is onderdeel van *De doos van Passsage*

De doos van Passage bevat:
Daniël Dee, Alexis de Roode en Benne van der Velde (red.):
Ik proef iets wat bedorven is - hekeldichten
Daniël Dee: *Mond vol demonen*
Paul Gellings: *Café Egidius*
Karel ten Haaf: *De vertaling van Herbie Hancock*
Renée Luth: *Preparaat*
Ronald Ohlsen: *De dag dat ik in het gedicht verdween*
Diana Ozon: *Zwerfzang*
Pauline Sparreboom: *De dagen, de dingen*
Irene Wiersma: *Kraanstaren*
Willem Jan van Wijk: *Keelpost*

Daniël Dee

Mond
vol
demonen

GEDICHTEN

COLOFON

De auteur ontving voor deze uitgave een werkbeurs van het Nederlandse Letterenfonds

Vormgeving bundel en doos: Myrthe Heuzinkveld
Drukwerk: Grafistar
Foto auteur: Lynne Greenaway

Uitgeverij Passage, Postbus 216, 9700 AE Groningen
www.uitgeverijpassage.nl

ISBN 97890 5452 304 8 – NUR 306

Aan de zeer vermakelijke doch niet minder eerbare juffr. Sara, klein meerkatje saluut.

Zwamman stelt zich voor

klateren is soms lekkerder dan neuken
het terrein afbakenen met mijn elfde vinger
uit de broek sproeien tegen deze smerisbak
vinger? wat zeg ik? arm! de sterke arm der wet
ik zou er *je maintiendrai* in gotische letters
op moeten laten tatoeëren

en wat een standvastige straal
brullen een leeuw die uit zijn hemd
scheurt als een oranje hulk
– hij is er weer bij en dat is prima –

zwamman zeem de ramen met je *schwanz*
daniel-san wax on wax off en banzai!
de rubberbanden smelten sissend
de plas voor mijn gympen schuimt

volgepompt met enzymen en hormonen
waar harige strontvliegen
zich aan tegoed kunnen doen
tegoed uit deze hoorn des overvloeds

laat de strontvliegen tot mij komen
laat de strontvliegen voeden en groeien
tot groteske fluorescerend groene proporties
mijn privéstrontvliegenluftwaffe
niemand houdt ons tegen

komen de strontvliegen er al aan
hoor ik ze reeds gretig zoemend
naderbij komen of is dat
de leegte in mijn hoofd

als alle hoop is verdwenen
dan is er altijd nog het klateren
het klateren in de eeuwigheid

het is een kwestie van tijd
daar heb je de smeris al
wapperend met zijn bonnenboekje
ik zal handhaven

De magie van de taal

uitgelegd aan de hand van het voorbeeld des aardworms
maar niet letterlijk natuurlijk want een worm heeft geen handen
daar durf ik mijn rechtervoet om te verwedden

ondergronds heb je geen stem
de aardworm kan niets veranderen
aan wat hem overkomt
eten of gegeten worden dat is het

hij is niet in staat zijn toekomst
positief te beïnvloeden
nooit zal hij de schoonheid bezingen
van een vrouw of verhalen
over zijn tomeloze ambities

ondergronds is de weg
die ieder van ons zal gaan

maar tot die tijd
maak ik van lood goud
van water vuur
van woorden zang
heb ik de toekomst

Mier

Ik noem mijn leven achterlijk en daar heb ik volkomen gelijk in.
Ik weet niet of ik mijn mening mag verkondigen. Er is altijd wel een groepering
die zich gekwetst, beledigd, geschoffeerd voelt. Mijn gezin bijvoorbeeld.

The enemy of my enemy is my friend. Iedereen die mij haat is mijn beste vriend.
Wie beweerde ooit om in dialoog te blijven? Dat is dodelijk vervelend.
Ik heb niets te melden. En ik weet zeker dat ik mezelf zou uitlachen.
Die vernedering bespaar ik me liever.

Als ik nu een mier met krabbenpoten in de kleur van garnalen ontdekte,
dan was het allemaal niet voor niets. Minimaal tien centimeter
met uiterst giftige kaken die de vijand verlamt. Niet zo groot als een stier,
want dan was hij al lang ontdekt.

Hoe mooi zou het zijn als een ondergronds collectief van die mieren
achter de schermen (Schermen onder de grond? Hoe slim
zijn die vliesvleugelige insecten?) onze ondergang aan het voorbereiden is.
Dus wij moeten als slaven van dat mierencollectief ondergronds gaan wonen
en werken. Weet onze regering van deze voorbereidingen?
En wat wil zij daartegen ondernemen?

Maar er bestaan evenmin mieren met krabbenpoten in de kleur van garnalen
als er maangoden zijn.
Iedereen die in onzichtbare almachtige wezens hoog in de lucht gelooft is eng
en mag wat mij betreft worden opgenomen met de indicatie idiotie
(Moet dat niet 'diagnose' zijn? *Whatever.*)

Of dit ook geldt voor het geloof in wezens onder de grond weet ik nog niet.
Hoeveel mooier zou de wereld zijn
als je bepaalde dingen weg kon denken.

Vals narcisme onder de douche

Het water langs de tegels in de douche toont mijn spiegelbeeld. Spiegeltje
spiegeltje aan de wand. De stiefmoeder van Sneeuwwitje zingt vals. Die rímpels.
Er zijn tijden geweest dat ik er beter uitzag. Die rimpels maken me evenwel
interessant. Er moet wel een heftig bestaan aan zo'n kop vooraf zijn gegaan.

De herfst is in mij neergedaald
en ik mijmer weer over mijn eigen uitvaart.
Ik zou een videoboodschap willen maken om in de aula af te spelen
op een vijftig inch beeldscherm van Sharp zoals Sjef heeft, dus in 3D.
Mooie woorden aan de nabestaanden (je zou me bijna kunnen omhelzen)
en een aanklacht tegen mijn moeder, als ze al aanwezig is,
ze had tenslotte ook te veel verdriet om bij de begrafenis
van mijn schoonzus (de vrouw van mijn jongste broer) te komen.

Ik zou haar zeggen dat het nu helaas
pindakaas te laat is om mij te leren kennen,
dat ze eerder die moeite had moeten nemen.
Als ze dan maar niet roept dat het omgekeerde ook geldt.
Ze is in staat om zelfs na mijn dood nog stennis te schoppen.

Onhartelijk zooitje, dat werd deze zomer wel weer duidelijk

Droge mond, hevige diarree en een toenemende slappe verlamming.
Mijn lippen laven zich prevelend aan lijden.

Lekker de boel dieper in de vernieling denken.
Ik ben een klap in het gezicht van alle positivo's in Afghaanse lammy.

Er kan nog meer bij. Gooi kolen op mijn vuur.
Mijn lijden is mainstream. Mijn lijden is groter dan populisme,

corrupt als een politicus, onuitzetbaar als zigeuners
en onbegrijpelijk als de pensioencrisis.

Waar ik aan lijd?
Waaraan niet! Lamaritis.
Hoe kom ik eraan?
Hoe kom ik eraf! Laat maar.

De arctofiel, de stille

Teddybeer, rust in vrede, gaat helemaal nergens meer over.
Gaat niet meer over. Teddyberen zijn niet meer wat ze geweest zijn.

Zo'n stille tocht heeft toch helemaal geen nut

Dat er überhaupt een stille tocht gehouden wordt.
Stille tochten worden alleen voor onschuldige slachtoffers gehouden?
Moet ik anders schreeuwen naar de zachte kunststofvulling?

Uit respect klinkt een salvo met geluidsdempers.

Devaluatie van een stille tocht? Sluit de deuren. Wie betaalt de detectiepoortjes?
Leef met het zwaard, sterf door het zwaard. Geen familielid sluit zich aan
bij deze tocht. Dat is overigens niet vreemd in deze regio. Zal ik een tegel
met lieveheersbeestje voor mijn teddybeer bestellen? Wat staat er op tegels
van lieveheersbeestjes die slachtoffer zijn geworden van zinloos geweld?
Zo onschuldig zijn de lieveheersbeestjes trouwens niet. Die kevers
smullen van bladluizen als die luizen niet beschermd worden door mieren.

Waar haal ik een vergunning voor een minikapelletje voor mijn deur langs de weg?
Dat is toch het minste. Dit transitieobject was nooit een kostenpost
voor onze samenleving. En er was al helemaal geen sprake van een strafblad.
Van onafscheidelijk in bed tot afgedankt in de vuilnisbak.

Misschien moet ik hem danken met een feest voor al zijn verdiensten. Niet stil.
Geen stille tocht maar carnavalsstoet. De zachte kunststofvulling ligt door het huis
verspreid. Wat dacht ik in het binnenste van mijn transitieobject te vinden?

Geloofwaardigheid nul

Er groeit een waarschuwing in mijn onderbuik en die telt voor twee. Symbiose.
Moet voor de extra energie wel meer eten/drinken – energierekening loopt op.
Buikgedrocht, leg me je conceptakkoord voor. Zeg me wat je van plan bent.
Neem volledige verantwoordelijkheid als je wilt meedoen.

Buikgedrocht is erelid van een zelfbenoemde elite
die graag voorschrijft wat anderen moeten vinden
en waarvoor ze hem dankbaar moeten zijn.

Een soort van moderne NSB'ers die vooral aan hun eigen belangen denken.
Ze begrijpen de samenleving al lang niet meer
en vinden dat ook niet nodig
want ze kennen hun eigen wetten en misbruiken graag podia.

Kan buikgedrocht ook bier halen?

Buikgedrocht is onrendabel.

Laten we orde op zaken stellen.

Gewoon zakkenvullen en de rekening naar beneden presenteren.
Draaikont laat geen poepie ruiken, op staande voet ontslagen.
Draaikont moest zich niet zo automatisch openstellen voor elk misbaksel.

Even fatsoenlijk googelen en je weet hoe ongelofelijk stupide die opmerkingen zijn.
Buikgedrocht roept: mijn rug op! En keert zijn rug naar de samenleving.
De beperkte blik van het overvloedige banket is veel wonderbaarlijker.
Ik heb honger. Ik heb dorst. Hoe laat gaan we eigenlijk eten?

Dat hebben we ook weer gehad, tot morgen

Ik moet eerst een scheerapparaat kopen
voordat ik met mijn tronie op de treurbuis verschijn. Stout in de camera kijken.
Kijkers moeten zeer benieuwd zijn en zin hebben in de avond
alsof het hun verjaardag is. Kijkers moeten roepen: Wie is dat?
Kijkers moeten duizelig van me worden. Niet het woord 'twitter' gebruiken
dan gaan kijkers zappen, ik wel. Geen blauw overhemd aantrekken,
dat heeft zo'n boekhoudersuitstraling, boekhouderig, boekhouterig.
Niet aan de kijkcijfers denken. Niet aan de zuurverdiende belastingcenten
van kijkers denken. Vermijd elke vorm van amateurisme. Vertellen in plaats
van voorlezen. Het moet spontaan overkomen, overkomelijk. Kijkers mogen zich niet
vervelen. Kijkers moeten een aanleiding hebben om mij de hemel in te prijzen.
Of zouden de kijkers liever naakt willen zien? (Ik hoef geen antwoord op deze vraag.)

1

jouw lichaam terra incognita
ik een ontdekkingsreiziger
je eigenste indiana jones
voel de zweep op je billen
laat mij de erogene zones
in kaart brengen
de witte vlekken
hic sunt dracones
laat mij de draken verjagen
deze gelukszoeker
met zijn pikhouweel
wil de jackpot
open je zacht roze grotje
en laat het stromen
de vloed van witgoud

2

hitchhiker met Hitchcock-suspense
hete piemel brandende lust *burning love* voor jou
van achter pakkend backpacker liftende wereldreiziger
sky lifting you got me floating hete lucht verplaatsing skilift
komen om te gaan *corrida* ik de stier jij de rode lap
vamos a la playa sex on the beach lauwe kwak
verlangend naar het vijfsterrenhotel dat jij bent
tachtig dagen jouw lichaam rond
in en uit in en uit van voor naar achteren
happend naar lucht hompen hoppend *viel Spass*
op de toppen van jouw twin towers tweelingbergen
jodelend komen *ein Tiroler Bursche*
waarna après-ski jij de glühwein brandend
in mijn gemoed witte snowboardencrimineel
jij de buit binnen buiten in en uit in en uit
van voor naar achter lastminutevlucht
en we gaan nog niet naar huis
nog lange niet
nog lange niet

3 Edel beest

trek niet langer aan een dood paard
die edele necrofilie is nutteloos
ik snijd het beest open
verwijder hart en ingewanden
zodat wij samen naakt in hem kunnen liggen
terwijl de strontvlieg Scatophagidae zijn eieren legt
voor het eerst één met de natuur
zoals piepkleine meisjes het eerste orgasme krijgen
in draf of in galop op een zwetende rug de manen wapperend briesende lippen
voel de hitte van het bloed voel de sensualiteit de seksualiteit
en de lust van mijn paardenkracht

4

zoals de in elkaar gestrengelde vezeltjes
van het echte dons Aka
van gakkende Nils Holgersson ganzen
teruggekeerd van wonderbare reizen
in mijn dekbed
met fotoprint – niet *freaky* maar uit liefde –
van jou levensgroot
tijdens die hete zomer
in bikini aan de waterkant
– waar blijft het veel gevrij in de Alpenwei
de dolle pret in een Tiroler bed
waar wachten we nog op –
in staat zijn
om permanent lucht vast te houden
zo wens ik
– mijn hoofd gevuld met wolken van dons –
elke herinnering
aan jou vast te houden

5

de Hema biedt allerlei mogelijkheden om
de foto's die ik stiekem van je nam
– hete zomer waterkant bikinibovenstukje af –
af te drukken tegen redelijke prijzen
op mokken klokken canvas kalenders agenda's en kerstkaarten
– mijn slaapkamer heb ik reeds met jou behangen –
maar helaas niet de mogelijkheid
om de genomen foto's veilig op te bergen
in een kluis van lood op de bodem van de oceaan
voor latere generaties of buitenaardse wezens
die jouw schoonheid net zo kunnen waarderen als ik
omdat ze net zo ver geëvolueerd zijn

6 Dingen zijn jouw benodigdheden

boehoe bzzzt in andere omstandigheden
hadden we anders gehandeld
was jij een meisje van twaalf
met een moeder in geldnood
vanwege een drugsverslaving
had ze jou in de prostitutie gedwongen
en ik een bejaarde politicus
parlementslid en oud-burgemeester
met de ziekte van Parkinson
waarvoor ik Cabergoline innam
dat me hyperseksueel maakte
en me naar jou dreef hoewel ik
zal blijven volhouden dat ik dacht
dat je al zestien was dan begreep ik
dat je me walgelijk had gevonden
maar nu niet je wilt mooie dingen
mooie levenloze dingen dus mij laat je
alleen maar om je heen draaien
zoals een strontvlieg rond een bolus
onder een glazen stolp zo dichtbij
maar geen idee hoe het te bereiken bzzzt boehoe

7

dat je niet met mij
voor slechts een semester
naar het seksinternaat
's werelds eerste seksschool wil
waar lessen worden gegeven
in standjes streeltechnieken
en de anatomie
van mannen en vrouwen
en waar het huiswerk
's nachts wordt gemaakt
want men slaapt er intern
op gemengde zalen
de opleiding is natuurlijk
praktijkgericht – natuurlijk is naakt –
of sowieso het bed met mij wenst te delen
dan wel aan mijn allesoverheersende
verlangens tegemoet wil komen
maakt het plannen van mijn dag moeilijk

8 Heel vreemde namen voor ziektes

de nog-liever-luister-ik-naar-het-volledige-oeuvre-van-Marco-Borsato-dan-dat-ik-mijn-liefde-voor-jou-niet-meer-mag-bezingen ziekte
de nog-liever-lees-ik-het-hele-oeuvre-van-Heleen-van-Royen-dan-dat-ik-mijn-liefde-voor-jou-niet-meer-mag-bezingen ziekte
de nog-liever-pis-ik-in-de-brievenbus-van-de-buurvrouw-dan-dat-ik-mijn-liefde-voor-jou-niet-meer-mag-bezingen ziekte
de nog-liever-slaap-ik-de-rest-van-mijn-leven-op-een-spijkerbed-dan-dat-ik-mijn-liefde-voor-jou-niet-meer-mag-bezingen ziekte
de nog-liever-drink-ik-elke-dag-een-kopje-rattengif-dan-dat-ik-mijn-liefde-voor-jou-niet-meer-mag-bezingen ziekte
de nog-liever-strooi-ik-al-mijn-geld-rond-in-de-metro-dan-dat-ik-mijn-liefde-voor-jou-niet-meer-mag-bezingen ziekte
de nog-liever-knok-ik-met-een-rollator-of-alligator-dan-dat-ik-mijn-liefde-voor-jou-niet-meer-mag-bezingen ziekte
de nog-liever-vat-ik-spontaan-vlam-dan-dat-ik-mijn-liefde-voor-jou-niet-meer-mag-bezingen ziekte
de nog-liever-verander-ik-in-een-zombie-dan-dat-ik-mijn-liefde-voor-jou-niet-meer-mag-bezingen ziekte
de nog-liever-penetreer-ik-tegen-betaling-een-orang-oetan-uit-een-hoeren-dorp-ergens-in-het-diepe-Borneo-dan-dat-ik-mijn-liefde-voor-jou-niet-meer-mag-bezingen ziekte
de nog-liever-rooster-ik-mijn-katje-levend-in-de-oven-dan-dat-ik-mijn-liefde-voor-jou-niet-meer-mag-bezingen ziekte
de nog-liever-ga-ik-vierentwintig-jaar-achter-tralies-omdat-ik-een-man-in-stukjes-heb-gehakt-dan-dat-ik-mijn-liefde-voor-jou-niet-meer-mag-bezingen ziekte
kk basta en de vlektyfus

9 Improviseren

mijn seksbom
laat me niet afdruipen
staart tussen de benen
laat me niet afgaan gezichtsverlies
maar laat me afgaan als een vuurwerkbom
als een Romeinse kaars tussen jouw benen
als een bermbom tussen jouw benen
bermtoerisme tussen jouw benen
sekstoerisme tussen jouw benen
ik ben jouw astronaut in een knal klaar
beroofd van al mijn zintuigen gaan waar niemand ging
tot jij mijn gillende keukenmeid bent

10 Jij mijn liefde mijn pijnstiller

jouw gemis is langzaam doodgeknaagd worden door eenden
jouw gemis is eindelijk succes hebben om vervolgens te kunnen falen
jouw gemis is een perfectie in het diepst van mijn gedachten
jouw gemis is een lijk meezeulen terwijl ik niemand heb vermoord
jouw gemis is met de ellebogen op tafel en het hoofd in de handen
jouw gemis is zo geheimzinnig als de ochtend op een maandag (schrijversschoolzinnetje)
jouw gemis is het probleem dat alle andere zorgen een beetje dommig maakt
jouw gemis is als een kat zonder vacht of poezie zonder trema
jouw gemis is een waterval aan woorden en de ijzige stilte

        er is geen omschrijving mogelijk

                      als ik geen poging waag blijft er niets

over

mond vol demonen

jouw gemis is mijn ergste vijand jouw gemis is mijn beste vriend
jouw gemis is mijn voedsel jouw gemis is mijn brandstof

       put a tiger in your tank

jouw gemis is het voer van deze tragediemonoloog

       er is geen publiek
              er is geen subsidie

jouw gemis is mezelf schieten in mijn voet
jouw gemis is mijn laatste strohalm

11

zoals jij mij achterliet
in dat smerige sanatorium
waar hygiëne ver te zoeken was
maar vliegen daarentegen
welig tierden en vooral zoemden
geheel aan mijn lot overgelaten
met dubbele longontsteking
en ratten snuffelend onder mijn bed
badend in een plas van mijn eigen bloed
dat was het zo voelde het
zo liet jij mij achter in angst voor de ratten
dat ze mijn penis zouden stukknagen en verslinden
daarom kan ik nu wel wat sterkers gebruiken
een bloody mary of gewoon een neut
iets minder sterks is ook goed als je niets
anders hebt rode wijn of zo bloedrode wijn...

12

mijn lokroep zoemt en vliegt niet vrijelijk
als de vliegen in het bedompte appartement
met de gesloten gordijnen en zonder airco
om zo uiteindelijk jouw trommelvliezen te strelen
als kwastjes tijdens een *jazzballad*
mijn lokroep zit opgesloten in een lege wijnfles
als een geest in een fles
de kurk er stevig op
de lucht van verschaalde wijn
blauw van de lucht geen wens gaat in vervulling
een eeuwigheid dobberend op een zee van vergetelheid
mijn lokroep slaat te pletter tegen het groene glas
o nee niet mijn lokroep zit in een wijnfles
ikzelf dobber een eeuwigheid op een zee van vergetelheid
en nergens een glasbak in zicht

Ontmoeting met de roze vis

ik ging naar de chinees
ik houd van voedsel waar je bier bij kunt drinken
want ik houd van bier drinken
ik houd van veel bier drinken
het liefst de hele dag
zoals vandaag
het is zo strontvervelend
om zonder te zitten

van veel bier wil ik sporten
zien niet beoefenen er zijn grenzen
van veel bier wil ik vrienden op de rug slaan
van veel bier wil ik hufters in het gezicht stompen
van veel bier wil ik steeds meer
een meisje met een grote boezem
dat mij ook eens een keertje leuk vindt
dus niet ik alleen haar
van veel bier gaat het gesmeerd

er wordt beweerd dat er
een chemische reden is
dat de samenstelling van bier
dit psychologische effect heeft
op mannen

er wordt beweerd dat er
een grote kans bestaat
dat de samenstelling van bier
de aanmaak van gist
in het lichaam stimuleert
en gist beïnvloedt de werking
van de hersenen

veel bier spoelt de demonen in mijn mond
zo lekker weg hoe moet het anders

met die overpeinzingen ging ik naar de chinees
alwaar in de hal mijn aandacht werd getrokken
door een vis in zo'n aquariumvitrine

een vis met vinnen en kieuwen
en helemaal roze waarom niet
tussen ons zat een dunne scheidslijn
breekbaar als glas

ik hoorde een vrouwenstem
en het was alsof de vis tot mij sprak
waarom niet

ze sprak tot mij en ze zei
kijk nou naar jezelf
met je dikke bierpens en je vette lever
met je rotte tanden en je ontstoken tandvlees
met de kale plekken op je kop
en met die moedervlekken die zo plotseling
over heel je lichaam verschenen
en je jeuk bezorgen als een schurftige hond

zorg toch wat beter voor jezelf
of ik zal je voortijdig
mee moeten nemen
naar de overkant

Was de dood werkelijk
een roze vis met een vrouwenstem
En waarom woonde ze
in dit chinese restaurant

het beeld was in ieder geval sterker
dan dat het skelet met de zeis al was
het idee even wanhopig

ik haalde mijn schouders op
liep het restaurant binnen
en ging aan tafel zitten
de ober vroeg wat ik zou willen
en ik zei maakt me niet uit wat
er vanavond gebeurt maar ik wil
bier veel bier en in ieder geval
die roze vis uit de vitrine in de hal

Opblaasneger

mijn stiefschoonzus van de koude kunt vertelt

het was een bruiloft met alles erop en eraan
in zo'n dorpszaaltje
you'll never walk alone werd gedraaid
er was een eerste dans

op haar vrijgezellenfeest kreeg de bruid een opblaaspop van een neger
niet van een neger maar een bruine opblaaspop dus
gemaakt in china
moet je nu dan eigenlijk afrochinees zeggen
haar grootste wens was om het eens met een neger te doen
dus vandaar

na afloop van het feest vroeg ze of ik hem wilde meenemen
omdat ik met de auto was
dat zag ik niet zitten zo'n bruine opblaasneger naast me in de auto
wat zouden anderen niet denken als ze me zagen bij een stoplicht
of moet ik nu dan eigenlijk niet verkeerslicht zeggen
ik zei laat hem eerst maar weer leeglopen

op de bruiloft was hij er weer bij
opgeblazen en aangekleed

de catering was van de afhaalchinees op de hoek
veel babi pangang en pekingeend
of moet ik nu eigenlijk beijingeend zeggen

aan het eind van de avond hebben we hem uitgekleed
en mee laten lopen in de polonaise

(rijst boeketwerpen en om middernacht koffie)

Hic sunt dracones

jij schiet je roespijlen gericht en altijd raak
lichtpuntjes in mijn hart de mensheid
kan nog niet helemaal verloren zijn
zolang er mensen zijn als jij

toch dampt veelal het land van kwade geesten
en onder de grond houden mollen een bacchanaal
met het vlees van onze doden het merg en been
de stoeptegels trillen van de toekomst kan
alleen gezegd worden *hic sunt dracones*

daarom liefste waarom liefste
zeg je van me te houden

de twijfel houdt me gekneveld op een klapstoel
een rolstoel zonder wielen ik ben een angstige
die stilstaat vastgenageld vastgeroest

daarom liefste waarom liefste
zeg je bij me te blijven

het spaarzame handelen is een loos schot hagel
met de ogen gesloten en een epileptische pols
woorden die tuimelen zodra ze de mond verlaten

daarom liefste waarom liefste
zeg je van me te blijven houden

Magie en hekserij

overblijvende
nachtschade

geneeskrachtig
helderziend

ei van de geest
liefdesplant
vertakt of gevorkt

ingesneden
afzonderlijk
ondergronds

giftig
hallucinogeen

duizeligheid
angstaanvallen
slapeloosheid
zware gevallen
woedeaanvallen
ademhalingsproblemen
delier
warmtegevoelens

heksenkruid
heksendrankjes en heksenzalf

miniatuurmensje
probeerseltje van de mens
bewerkt en besneden

het zeggen van speciale formules
en het dansen van bepaalde dansen

ijzingwekkende schreeuw
dodelijke schreeuw

lijkvocht
de urine en het zaad
galgenmannetje

you will find it in her eyes

•

in mijn broek geen M
6D magnum die toch min-
der schade aanricht
hoe zal ik noemen wat er
achter het denim zit ver-
scholen een *ener*
gy sword een van de meest dodelijke wapens
voor dichtbije doelen een
assault rifle effectief
in bijna alle
situaties indien cor-
rect gebruikt de *need-*
ler vuurt roze naalden die
de vijand volgen een *plas-*
ma cannon rocket
launcher flamethrower sniper
rifle of toch een
spartan laser dat met zijn
gerichte energie-me-
chanisme een sterk
geladen laserstraal vuurt
dat zijn doel volle-
dig vernietigt als het ge-
raakt wordt of anders *spiker*
die granaten vuurt
als spijkers uiteraard wordt
het procedé pas
interessant zonder jeans
liefste na ons de zondvloed

Hier

voor C.B. Vaandrager

daar is de orgelman
daar is de lente
daar is de koffie
daar is duif tien

daar zijn de appeltjes van oranje weer
daar zijn de meningen over verdeeld
daar zijn de boys
daar zijn de smurfen weer

daar is een stoomboot aangekomen
daar is een roos ontloken
daar is een 75-jarig huwelijk van
daar is een god die hoort

daar is geen woord frans bij
daar is gabbertje
daar is geen speld tussen te krijgen

daar zijn geen grenzen aan jezus macht
daar zijn geen grenzen
daar zijn geen woorden voor dat doet de deur dicht

daar is het beter
daar is het daglicht
daar is het voor bedoeld
daar is het water daar is de haven

daar is ie weer andré van duin

daar is kracht in het bloed van het lam
daar is kracht kracht wonderbare kracht

daar is loesje

daar is mijn vaderland
daar is mag in sy woord

daar is niet wijs uit te worden
daar is niks soos ware liefde

daar zijn onze jantjes
daar is plaats bij het kruis
daar is rené van de anwb
daar is swiebertje

daar is tie weer andré van duin

daar is uit 's werelds duis'tre wolken
daar zijn vrienden voor
daar is willem met de waterpomptang

daar zijn woorden voor
daar zijn we weer
daar zijn woorden voor toon tellegen

daar zijn ze weer sinterklaas en zwarte piet
daar is ze weer
en hier is de fles

de fabriek waar compassie wordt geproduceerd
is stilgevallen en voor het eerst in eeuwen
komen de arbeiders naar buiten hun gezichten
ouder dan de tijd van woorden de arbeiders
ze schreeuwen niet maar in hun ogen staat
het verwijt te lezen: jullie zijn ons vergeten

De onverschilligheid van meeuwen

op het bankje aan het water zit een meisje te huilen (liefdesverdriet?) (reddeloos?)
de meeuwen krijsen als altijd
ze zijn onverschillig
ze lijken onverschillig moet ik zeggen
want zeker weten doe ik het niet
je zou ze moeten aansluiten op een hartmonitor
om te zien of hun stressniveau stijgt in de nabijheid van een huilend meisje
hoe dan ook: troosten doen ze haar niet
de meeuwen vliegen weg
ik kan niet vliegen, wel lopen

Skål kakkaukasiër

eeuwen na het uitsterven van de dappere dodo
is het nu de beurt aan de pimpelmees
eender vleugellamme vreemde vogel
met geen talent voor het steken van de kop
in het zand of de neus in andermans zaken
pikt hij venijnig van zich af
een onvergetelijke ervaring
ondergedompeld in genot zijn ondergang
verzuipend in overvloed vuurwater *top it up love*
of twee worstvingers woelige baren schuim
geven hem 's nachts vlerken *c'est un plaisir* vlegel
en 's ochtends eigenlijk 's namiddags
zenuwzieke keien in de pens en lood in de schoenen
de waterput even onbereikbaar als de nacht
die gelijk de dood vanzelf komt

Well, here's another fine mess

mijn boheemse beminde spriet zoals jij is niemand anti-tam
jij bent de vleesgeworden slag bij antietam drieëntwintig-
duizend man joeg je binnen een dag over de kling dat is
bijna duizend man per uur en nog heb je niet genoeg

ik sta aan de grond genageld geparalyseerd tactisch onbeslist
met een fles wijn aan de mond blauwe lippen blauwe tong
bevroren mijn taal mijn spraak stotterend ijsschaafsel terwijl
ik evengoed van binnen brand met een lege fles die vastzit
om mijn middelvinger omdat ik speelde en niet oplette
de kurk op mijn verlangen is spoorloos verdwenen
als dit een cartoon was dan stoomde het uit mijn oren   [uit je broek zul je bedoelen]
als had ik de dunne verdwenen is mijn dikdoenerij
het fijne is ik zie je dubbel het nare is ik grijp steeds mis

Binnen een marge van een kwartier wordt het antwoord goed gerekend

hoe lang moet er op me ingebeukt worden – *Lord I'm so tired how long*
can this go on – voordat in de mijnschacht onder mijn schedeldak
de telefoonlijnen de hoogspanningskabels de oliedrukleiding
van de hydraulische balans en de persluchtleiding
die het ingezette pneumatisch materieel voedde afbreken waardoor er
een felle brand uitbreekt zodat zich door het ventilatiesysteem
giftige gassen zullen verspreiden over andere mijnschachten – o grot
o schacht o bron o dal – en alle communicatie tussen brein en de rest
van mijn lichaam volkomen en totaal onmogelijk is geworden
en ik niet meer dan bespottelijk en potsierlijk

schroot

Tweedracht zaaien

na het middagdutje (irrelevante informatie)
ontstond het verlangen om bekend te staan
onder vele namen

voor elke naam een ander gezicht
een ander hoofd en voor elk hoofd
een andere pet

de behoeften van de velen wegen zwaarder
dan mijn eigen

meervoudige persoonlijkheidsstoornis

na het avondeten (irrelevante informatie)
groeide er daadwerkelijk een tweede hoofd uit mij
links naast het reeds bestaande

de stierennek waar het op rustte
was overduidelijk te sterk om het
met een bijl af te houwen
ik liet het idee varen

mijn dochter was niet verbaasd
het koeren en kraaien is ze nóg niet machtig
laat staan het veroordelen van een anomalie
verschrikt huilen kan ze om alles

ik zette twee petten op stapte naar buiten
in het licht van de kille maartzon

het duurde niet lang of ik werd herkend
kinderen wezen volwassenen wendden hun hoofd af
de vriendelijke variant niet zelden werd ik bespuugd

desalniettemin verliep de samenwerking
tussen mijn beide hoofden wonderbaarlijk wel
mijn moed is verdubbeld
en twee hoofden weten meer dan een

er is maar een persoon
die uitmaakt
wat goed en kwaad is
en dat ben ik
de man met de twee hoofden
mijn referentiekader

na die eerste dag is de buurt gewend

Tulips for Nora

Nora, op haar rug, gooit haar beentjes in de lucht.
Nee, het zijn geen beentjes, het zijn mollige biggenpootjes,
om van te watertanden en honderd procent halal.
Al zal ik er nooit een tand in zetten, om niets te beschadigen.
Op haar rechterpootje zit een aardbei.
Zelfs dat genoom vind ik mooi.
Ik vind alles Wonderbaarlijk aan haar,
met een grote, langgerekte Wwwwwééé.
Maar dat is bezijden het punt.

Nora, op haar rug, gooit haar beentjes in de lucht
en met een grote zwaai laat ze zich op haar zij vallen.
Na wat wrikken en zwemmen ligt ze dan daadwerkelijk op haar buik.

Nu zou het mooi zijn als ik iets dieps vermeld over
hoe zij nog geen weet heeft van een tijd voor haar geboorte.
De geschiedenis die ik reeds eerder geprobeerd heb
te beschrijven in een gelegenheidsgedicht
voor het radioprogramma Dit is de Dag op radio 1.
Iets over haar opa en oma die in de oorlog
(wordt de tweede wereldoorlog over een tijdje
nog wel betiteld als de oorlog?) geboren zijn,
de eerste geboren in Nederland, de tweede in Duitsland.
Of dat die grote cd's eigenlijk langspeelplaten
worden genoemd. (Worden er over een tijdje
nog wel compact discs verkocht?) Of dat
mijn moeder in de jaren tachtig altijd zei
dat ik mijn bord moest leegeten,
omdat er kindertjes in Afrika stierven van de honger.

Maar dan zo goed geformuleerd dat lezers
een warm gevoel van nostalgie eraan overhouden.

Nora, op haar buik, niest ongegeneerd grote snotdraden op het kleed.
Wie er gevoelig voor is, zou zweren dat de kamer gevuld werd
met de geur van verse tulpen in een eeuwige lente
met een zon die doorbreekt en plassen om in te stampen.
Hoogst opmerkelijk in dit platte land
dat lijdt aan rechtsdraaiende ontevredenheidsdiarree.

Een andere goedkope, maar effectieve truc zou nu zijn
om haar onwetende geluk in contrast te brengen
met de overstroming in Pakistan, de bosbranden in Rusland,
het geweld in Afghanistan, Darfoer, op de Gazastrook.
En dat ik nog geen idee heb hoe ik haar moet uitleggen
hoe wij, de mens, met een hele kleine afgebonden m,
elkaar en deze aardkloot gemakzuchtig en onverschillig
naar de kloten helpen.

Maar welke ramp of welke oorlog te kiezen? Het gaat allemaal zo snel.
Morgen maakt alweer plaats voor vandaag.

Allicht kan ik beter tegen haar zeggen
dat ze haar huiswerk moet maken
want de kinderen in Azië staan te popelen
om haar baan in te nemen.

Nora, op haar buik, kijkt omhoog – haar blik is één en al
eigenwijze trots (invulling van een even trotse vader) – wanneer ze mij
spot begint ze te kirren en drukt met haar mollige varkenspootjes
haar luierkont als een trofee de lucht in.

Mijn liefde voor Nora en Lily

gaat het toch weer over mij en een beetje over Joseph Merrick

mijn liefde is een monsterlijke olifant
een dikhuidige mastodont in de porseleinkast
de grove mismakingen zijn permanent en verergeren
nooit anders gekend

de hondse behandelingen niet van de lucht
geregeld schreeuwt zij het uit
leave me alone

te vaak was die liefde niet meer dan een derderangscircusact
lachen om de clown die het niet snapt wachten op de salto mortale
de doodsmak van Pipo daar wil het publiek wel voor betalen

toch is haar huid nog steeds zachtroze
onschuldig *wie ein Kinderpopo*

ongekend log in haar genoegzaamheid
haalt ze met gemak een gewicht van zeven ton
zij vergeet geen krenking uit het verleden

en nu: eens in de zoveel tijd begrijpt zij plots het nut
van haar enorme groteske oren als wijde vleukun

en vliegt ze uit
vrij en zorgeloos

De gifmengster

de formule om een mens te veranderen in goud is eenvoudig – let u allen even op
men neme allereerst een hulpbehoevend mens onder de vleugels
daar hoef je niet lang naar te zoeken

uiteindelijk is ieder mens op een bepaalde manier oud of ziek

sluit vervolgens slinks begrafenis- en levensverzekeringen af op hun levens
de hulpbehoevende mens stelt in het algemeen een nette begrafenis op prijs

het laatste ingrediënt is het metalloïde arsenicum die verwoestingen aanricht
in het spijsverteringskanaal denk aan symptomen die lijken op een 'natuurlijke'
maag-darmontsteking maar dan met veelal een fatale afloop

ik beschouw het als een eer in om hulpvaardig te werk te gaan als mijn investering nog leef
of het nu buurtbewoners betreft hele gezinnen inclusief kleine kinderen
desnoods een schoonzuster een neef een broer of mijn eigen ouders

het is belangrijk de schijn van reddende engel op te houden door de stervenden
tot het eind bij te staan al reken ik wel geld voor het oppassen en het afleggen
van de lijken om daarna pas de autoriteiten in te schakelen

[ik heb geen idee wat ik met de goudstukken moet]

Venustrafobie

de abri's hier in deze rotte stad
zijn hufterproof
maar in de nacht
stinken ze vaak naar pis
en is het glas bespuugd
toch trek ik eropuit
vandalisme is het niet
mijn missie is een statement
ik stift de ogen uit
van elk model
poserend op posters
hangend in zo'n abri
ik zet kruizen over hun borsten
en kras kill kill kill op hun buik

refr.:
Komm' doch mal rüber und setz' dich hin,
Keine Widerrede, weil ich sowieso gewinn,
Weil ich ein Mädchen bin.

als ik een exemplaar
in levende lijve tegenkom
dan negeer ik haar
dat zal ze leren
mijn stille wraak
voor de middelbare school
waar ik werd gemeden
als ware ik een slijmerige bufo
alleen omdat ze mooi waren
in mijn hoofd nam ik ze allemaal mee
ik nam ze mee en hun zusjes ook
vooral het zusje van Marijke

het liefst zit ik thuis
met mijn eigen verzameling
mijn nieuwste aanwinsten zijn
Rarity's Draaimolen
het My Little Pony Trouwkasteel
de My Little Pony Trein
Princess Celestia
de Pratende Ponybaby Spike
en de My Little Pony Bruidsmeisjes

ik word rustig van al die blije kleuren

Wel bloemen voor de koningin

we dachten dat ze uitstierven
we zagen steeds minder bijen
er werden reeds doemscenario's geschetst
over de catastrofale gevolgen
voor de teelt van ons voedsel

in werkelijkheid hadden de bijen zich teruggetrokken
onder de zeespiegel in de gigantische luchtbel
van wat later de ontdekking van Atlantis bleek
daar sterkten ze aan plantten zich voort
en evolueerden ze

tot de dag dat ze weer boven water kwamen
met miljarden tegelijk
inmiddels zo groot als kleine chihuahua's

bijen zo groot als kleine chihuahua's

het luchtruim was vergeven van gezoem
hun beangelde lijven verduisterden de zon

twee steken verlamden een volwassen vent
een steek kon al dodelijk zijn voor een kind
binnen no-time werd de wereldpopulatie gedecimeerd

en elk stukje aarde bestoven met bloemen
het zal niet lang meer duren of het is gedaan met het mensdom

bijen zo groot als kleine chihuahua's

de aarde is verworden tot een bloemenzee des doods
een immens bloeiende begraafplaats
zo is voor onze soort de bloem de kiem
tot het bittere eind de bezegeling

Rennen met de mieren

eindeloos razen door het hoge gras
ondergronds jakkeren door een complex gangenstelsel
rennen met de mieren
is hoe ik de meeste tijd heb doorgebracht

van de dagelijkse vernederingen verschrompelde ik
tot niet meer dan een hard snotje uit je neus
tot een formaat dat je ongemerkt vertrapt onder je zool

de dagen uit mijn jeugd waren het ergst
omdat er geen ontsnappingsmogelijkheid was

ik kom uit een gereformeerd dorp
onder de rook van pernis
sociale controle van geschifte boeren
is niet goed voor je zelfvertrouwen

en menig tiener meisje trouwde vanwege een moetje

> maar erger waren de machtswellustelingen
> op de middelbare school die zich leraar noemden
> die je in hun fantasieloze keurslijf wilden persen
> zoals de heer kooistra van aardrijkskunde
> met zijn stokpaardje hard leren hard werken
> blijven zitten kost je tienduizend gulden op jaarbasis

> en mijn gedachten dwaalden af
> ik stoof weer weg met de mieren

> michiel naast me fluisterde dertien
> de klas was stilgevallen
> ik begreep dat mij een vraag was gesteld
> vol overtuiging zei ik dertien
> de heer kooistra spuugde dat is niet de reden

dat er erosie ontstaat in vlaanderen
ga je maar melden bij de rector

ik liep naar buiten met het vaste voornemen om nooit meer terug te keren

wie de ware aard van de sadistische mens doorziet
zou ook krimpen tot minimale proporties

voor het voortbestaan van onze soort zou dat sowieso beter zijn
we zouden (letterlijk) voor gigantische problemen komen te staan
maar we zouden nog eeuwen kunnen doorgaan met ons parasitair gedrag

en dan is er nog voldoende plaats om je te verschuilen

eindeloos jagen door het hoge gras
ondergronds jakkeren door een labyrint van gangen
rennen met de mieren
en zinnen op wraak maar liever nog op ontsnapping

mijn geliefde zei na lezing van dit gedicht
mieren zijn bij uitstek een soort
die functioneert door samenwerking
noom het conformistische groepsdruk
zij weten niet beter

Parallelle universa

er zijn wetenschappers die beweren
dat er oneindig veel universa zijn
parallel aan het onze

ik denk er het mijne van
en fantaseer

dan was er een universum
waar ik echt intelligent was
en die wetenschappers begreep
waar ik sterk was aantrekkelijk
succesvol nu al steenrijk
met een eigen auto
en leefde nog lang en gelukkig

dan was er een universum
waar ik ziek was of al dood
eenzaam dakloos
met zweetvoeten
met rotte tanden
zelfs genegeerd door de straathonden

het maakt niet uit
in dit universum
is dit mijn kans

Hebben we nog een kans

al ruim vijftig jaar sturen wij radiosignalen de ruimte in
maar nog nooit heeft er intelligent leven gereageerd

zijn wij werkelijk alleen in het heelal
of – angstiger gedachte – heeft het leven
op andere planeten zichzelf uitgeroeid
bij het bereiken van een bepaald niveau
en stevenen wij niet op diezelfde doem af
is alle hoop verloren of hebben we nog een kans

want sinds de deling van de allereerste cel
zijn wij er op gericht om kennis over te dragen
om de omstandigheden te optimaliseren
voor de overleving van de soort

Wie het laatst lacht

je had erbij moeten zijn
ademend en bij volle verstand
niet zoals nu zo stijf lichamelijk
zo stoffelijk zo absoluut dood
wat zou je gelachen hebben

soms was dat het enige wat je nog kon
terwijl alles om je heen je afgenomen werd
je gezondheid je verstand en de waanzin
het overnam je eigen huis in brand stond

zelfs een waardige begrafenis
was je niet gegund meneer pastoor
was ladderzat en zwalkte naast je graf
later sloeg hij zelfs een rouwende

ik ken de waarheid niet
maar god is niet dronken
en god is geen kind
laten we het houden op liefde
in zijn ogen zijn alle schapen gelijk
al zijn sommige schapen
meer gelijk dan andere

de familie sprak er schande van
ik hoorde je lachen

•

door huis glijdt een zwarte slang
droomduiding leert ons dat huis
symbool staat voor je eigen zelf (de ziel)

wanneer je in je droom een slang ziet
duidt dit op verborgen angsten en zorgen
waardoor je je bedreigd voelt

de slang kan ook als fallisch worden beschouwd
en zou daarom geïnterpreteerd kunnen worden
als iets gevaarlijks en verboden seksueels

de slang verandert in een baby-alligator
– schni schna schnappi –
waar ik evenwel bang voor blijf

de krokodil kan het agressieve bijterige aspect
van je karakter vertegenwoordigen

verlekkerd hapt hij naar elke kont
wat kan hij verder uitrichten

als je gebeten of achtervolgd wordt
door een krokodil duidt dit op
teleurstelling in de liefde en in zaken

één welgemikte stamp op zijn kop
en alles wat ik eens was
spettert onlijmbaar in het rond

Hondsnachten

-deze vakantie was echt geweldig
-we hebben hier een week gezeten en geen enkele keer ben je naar het strand gewandeld
-ja dat is wel zo maar ik vind het gewoon tof om hier een beetje rond te hangen en
dronken te worden
-dat doe je thuis ook
-maar vanaf hier kan ik het water zien thuis heb ik alleen uitzicht op de parkeerplaats

ik kan mezelf heel erg bang maken
bij de gedachte dat ik in jouw ogen faal
niet voldoe aan jouw standaard

hoe snel kan een hond zich hechten aan een nieuw baasje
wil nu al nooit meer zonder de warmte van jouw schoot

zoals laatst toen ik zei dat we nog in bed hadden kunnen blijven
omdat ik niet goed in mijn agenda had gekeken
en dat die afspraak pas zeven uur later was

had ik beter voor me kunnen houden

ik jank bij de gedachte aan jouw schoot

Altijd weer diezelfde steen

> To hope is to recognize the possiblity. I had only dreams.

> Commander Riker in "The Dauphin" – Star Trek, the next generation

-ik ben hongeriger dan mama's dikke vette kut
-dan moet je een ontzettende honger hebben

geen idee hoe de diameter van een bierviltje uit te rekenen
weet niet eens het nut ervan heb verder ook niets uit te staan
met klonen van mens of dier heb je een voorkeur voor nietsnutten

het is evenwel niet eerlijk mij de schuld te geven van de toekomst die ik zag
het ontneemt me namelijk niet om nu van je te houden als een koppige ezel

Ouderdom is een ziekte

het regent
dan gaat oma smelten
in lange herhaalde zinnen
oma is van suiker
grove korrels basterdsuiker

jicht en artritis
haar nieuwe heup roest

er zijn mensen
die van vrijheid spreken
maar daar weet oma
niets meer van
in lange herhaalde zinnen

het residu dat van haar overblijft
stinkt naar zure karnemelk

het regent
dan gaat oma smelten
in lange herhaalde zinnen in lange herhaalde zinnen in lange herhaalde zinnen

Alle goede bedoelingen ten spijt

drinklied

de wegen hoeven niet met goud geplaveid
bestraat met donskussens lijkt me praktischer

de muren zouden plankjes moeten hebben
horizontale plankjes om je aan op te trekken
om je aan vast te klampen en desgewenst
om een glas op te zetten

optioneel zou daar dan een raam
boven geplaatst kunnen worden
al dan niet met uitzicht

de wegen bestraat met donskussens
de muren voorzien van plankjes

en alle flessen gevuld tot in de eeuwigheid

delirium imperium

51°54'54.6"N 4°26'38.4"E

Vandaag drie keer omvergelopen
tussen mijn huis en de Albert Heijn,
volgens Google Maps een afstand
van slechts 0,4 kilometer, circa
vier minuten lopen. Drie keer
omvergelopen door straathufters
die nog niet geboren waren op
het moment dat ik ontmaagd werd.
Straathufters die nog nooit gehoord
hebben van Horatius, Bukowski
of Vaandrager, laat staan dat ze
iets van ze gelezen hebben.
Straathufters die te dik met te veel
pillen in de mik consequentieloos
door het leven banjeren op zoek
naar een lekker mokkel om dat
in de snuit te spuiten. Ik ben zo
kwaad dat ik nu het liefst iets kapot
zou willen gooien. Deze vaas
bijvoorbeeld. Laat ik dat maar niet
doen. Die heb ik nog van mijn moeder
gekregen. En zeker niet de schaal dat
erfstuk dat nog van oma was.
Zal ik gewoon met mijn arm in één
vloeiende beweging alles van tafel
vegen? Och, de troep die dat geeft
en ik moet het zelf opruimen. Mijn laptop dan?
Nee, dat is me te duur. Zie hoe ik
deze bicpen op de grond smijt. Zo
pissed ben ik om de onmacht van alles.
Had ik maar flippers aan mijn voeten
en kieuwen in mijn hals, dan dook ik
uit mijn huis de Schie in en zwom ik
om mijn huis via de Nieuwe Maas
naar de Noordzee om vervolgens
door te flipperen naar warmere oorden.

Al die onstuitbare liefde

Ik geloof dat ik me een volmaakte voorstelling kan maken van de hel – gewoon nare dingen denken – die overdonderende steppe waar ik de enige ben van mijn soort voor de rest vast en zeker voetbalsupporters, aanhangers van een dubieus geloof, racisten, in ieder geval redeloos gepeupel dat de kunst van nuance of relativering niet verstaat. Laat staan ironie. Het is agressief onbegrip wat de klok slaat.

Zou de pijn van het gemis op een gegeven moment wennen?

Ik heb er vertrouwen in dat die hel evenmin bestaat als de ziel. Ik heb al genoeg te stellen met mijn geweten en al die onstuitbare liefde waarmee ik niet weet wat ik moet. Ze barst uit haar voegen. Voor jullie en eenieder die ik niet kan vasthouden.

Het is wel wreed dat er geen hemel bestaat. Ja, dat is het wel. Waarom moesten wij dat als mensheid verzinnen? Er is weinig moois uit voortgekomen. Slechts het besef dat ik jullie hierna nooit meer om me heen heb. Dat ik daar zelfs geen weet van heb.

Dat neemt niet weg dat ik dankbaar ben dat ik dit mag ervaren. Het is iets. Maar wie moet ik daar dan dankbaar voor zijn? Mijn ouders? Mezelf en mijn vruchtbaar zaad? Of toch jullie?

Het heeft geen zin om te snikken, snotteren in een hoekje om het verlies dat onvermijdelijk komt. Kniezen evenmin. Er moeten boodschappen gehaald worden en een brief gepost.

Mijn dochters hebben hun jassen al aan, hun sjaals en wanten. Buiten is het winter. We gaan een frisse neus halen. En vanavond, als het even kan, met een biertje een simpele comedy kijken. Een slasher is ook goed.

Verwaaide rommel

De inwoners hier wantrouwen de zon, omdat ze toch nooit schijnt, hun gemoed en denkbeelden zijn even asgrauw als de bedrukte lucht die dag in dag uit boven hun hoofden hangt. Kijk ze niet te lang aan, want dan krijg je een douw en dan heb je nog geluk gehad. Houd de blik omlaag gericht.
Op straat ligt verwaaide rommel van plastic en blik. Een vechthond draait een bolus tegen een kale boom waar zijn kale baasje tegenaan pist.

Er is nog in geen lichtjaren een hemel op aarde zelfs maar denkbaar. Hoeveel kinderen zijn er nu bij die burgeroorlog omgekomen? Hoelang is die nu al aan de gang? Een jongen rijdt op zijn fietsje door verwoeste straten in Homs. Een foto uit de krant. Waar zijn zijn ouders? Het kan dus altijd erger. Rampspoed in overvloed.

Zoals ik mijn schouders daarvoor ophaal en enkel verlang naar de eerste borrel, de jaren van jeugdig jakkeren die nimmer kunnen weerkeren wat me na de derde borrel weemoedig stemt.
Alsof ik tijdens dat jakkeren zo gelukkig was.
Alsof ik geloof in het najagen van geluk. Of zoiets abstracts als geluk.
Alsof er iets van waarde is. Terwijl er toch zoveel schoonheid is. Vluchtig als geluk en lekkere jonge wijven.

Stel je voor dat je jezelf zou tegenkomen

Weg met die dromen waarvan je nu weet dat ze toch niet meer uitkomen.
Weg met dat verlangen dat door ouderdom zinloos is om naar te verlangen.

De jongen en de man die hij is geworden
een versteend moment in tijd
samen op een niet nader omschreven plaats in de buitenlucht.

De jongen kijkt naar de wereld en begrijpt er helemaal niets van.
De man die hij is volgt zijn blik en begrijpt er evenmin iets van,
niets wijzer geworden. Er wordt niet gelachen.

Al die tussenliggende jaren hebben niets geholpen.
Er is geen tijd meer om het anders te doen, om het over te doen.
Er zijn nooit mensen geweest die van je houden zoals het hoort.

Lofzang op de survival of the fittest

Ik ben uitermate geschikt voor dit tijdsgewricht. Apathisch als ik ben weet ik dat er geen empyreum is.

Een betere samenloop van omstandigheden bestaat niet: mijn zelfverworven egocentrisme in een periode die er om smeekt.

Honderddertig in de bebouwde kom is nog steeds een snelheid voor mietjes. Ik houd van de geur van fijnstof in de ochtend. Laat baby's maar de kanker in- en uitademen. Dat is goed voor de doorstroom. Er zijn er intussen toch veel te veel.
Uiteindelijk dooft de witte dwerg sowieso tot zwarte dwerg. We zijn al op de helft van onze evolutie.

De natuur is zeer mooi, maar u moet er wel iets bij te drinken hebben. Een natuurdocumentaire in 3D, de nieuwe wildernis. Kunst is ook zeer mooi, met mijn neus tussen jouw siliconen. Ik ben een bidsprinkhaankreeft in het diepst van mijn gedachten. Deze wereld is de beste van alle mogelijke werelden, zolang ik mijn ogen niet sluit.

Maar elke lady in mijn ledikant mag rustig een paar uurtjes de ogen toedoen. Toedoe. Lang leve lustpil Rophynol. Als ze maar voor het opkomen van de hoofdreeksster weer verdwenen zijn. Linksom of rechtsom. Ik ben geen ontbijtservice. Dit bed is niet groot genoeg voor ons beiden. Ik drink überhaupt alleen koffie in de morgen. Ik ben de monade.

Toegegeven: ik geloof er zelf ook niets van. En zeker geloof ik niet in mezelf. Maar dit houdt de boel wel lekker gaande. Voor nu.

●

de glazen tingelen
van vleugels
van glimlach

de fles ontkurkt
van vleugels
van glimlach

van gaarkeukenavonden
van stoeprandochtenden

vleugels vol belofte
glimlach vol verbintenis

vlieg op en lach

want weet je nog
als kind
dat je zeker wist
dat je met vijftig gulden
de wereld kon kopen

de koning te rijk

vergeet
deze gaarkeukenavonden
deze stoeprandochtenden
zonder terugkeer

de fles ontkurkt
van vleugels
van glimlach

ik weet
dat ik het niet moet doen
maar ik heb dorst

•

ik wil niet weten
wie mij vandaag
de stuipen op het lijf
zal jagen

vaak zijn het de buren

soms is het de dokter
of zelfs mijn rusteloze benen
maar nooit de priester
al doet hij nog zo zijn best

dan helpt het om te drinken
drinken helpt het vergeten niet
maar beteugelt

daarom drink ik zo veel
en omdat het kan

vandaag zullen het vast
de buren wel weer zijn
die mij
de stuipen op het lijf jagen
die grimmig zwijgende buren met hun afschuwelijke chihuahua's

They're here

engelen zijn familie
van bovennatuurlijke verstandelijke wezens
die behoren tot de tweevleugeligen

de meeste soorten leven 's nachts

engelen maken een zoemend geluid
dat goed hoorbaar is
als de engel naderbij komt

ze leven in het donker
en kunnen elkaar moeilijk vinden
engelen gebruiken daarom geluid
om elkaar te kunnen lokaliseren
in het donker

ze komen
over de hele wereld voor
behalve in heel koude gebieden
zoals rond de polen

engelen gebruiken zicht
maar nemen voornamelijk geuren
en temperatuursverschillen waar
om de gastheer op te sporen

We houden ze nodeloos in leven van onze belastingcenten

Ineens was ik omsingeld. Ik weet niet hoeveel er waren. Zeven of acht. Het was echt een traumatische ervaring. Een nachtmerrie. Ik wilde snel even een broodje kopen in de supermarkt voor mijn lunch. Ze zaten allemaal in van die scootmobiels. Het metallic, rode, blauwe metaal glom. Het was een chaotische blur van zuurstoftanks, gerochel, shagrook en vetkwabben. Ze reden doelbewust tegen mijn schenen, mijn achilleshiel.

Ze zijn te dik en leven te lang. Van onze belastingcenten. Die babyboomers – meer dood dan levend – teren enkel op ons; zij zijn de parasieten van onze maatschappij. Ergens is er iets misgegaan. Ze dragen niets bij. Dat geld kunnen we beter steken in het onderhouden en uitbreiden van ons snelwegennet.

Kan de regering niet een vloot drones op ze loslaten. Drones met artificiële intelligentie die de vraag stellen waarom ze op maandagmiddag niet aan het werk zijn. Als ze geen geldige reden hebben, laat zo'n drone dan een dodelijk injectie afschieten. Dat is het meest efficiënt en het meest humaan voor alle betrokkenen. Zwarte drones lijkt me het beste, dat is indrukwekkend en angstaanjagend. Nee, drones in camouflagekleuren zodat ze ze niet aan zien komen vliegen en geen tijd hebben om te vluchten. En laat de drones eerst schieten en dan pas vragen stellen, *better safe than sorry*.

Laat de regering dat probleem eens aanpakken. De ziektekosten rijzen toch de pan uit? De frituurpan in dit geval.

Intussen in Kazachstan, een readymade

Ze vallen zomaar in een diepe slaap. Op straat, op het werk, op school.

Als je hem probeert wakker te schudden, lijkt het alsof hij zijn ogen wil openen. Maar hij kan het niet. Hij slaapt en slaapt...

Ik was op 28 augustus vorig jaar op de motor op weg naar een nabijgelegen dorp om boodschappen te doen. Maar het volgende moment werd ik op 2 september in het ziekenhuis wakker. Wat ik mij kan herinneren? Niks. Wat er gebeurd is? Mijn hersenen werden uitgeschakeld. Dat is het. Meer weet ik niet.

De wildste theorieën: van massapsychose tot vergiftiging en van insectenbeten tot een buitenaardse invasie.

Een jongen dacht bijvoorbeeld dat er slakken op zijn lijf kropen. En andere jongen zag vliegende paarden en dacht dat zijn moeder vier paar ogen in haar gezicht had.

Sommige maatregelen moeten genomen worden. We zijn allemaal bang om in slaap te vallen.

•

je bent voor mij een bloedroos
zal ik nooit schrijven

ik ben geen dichter
die de schoonheid van een bloem
gebruikt als metafoor

er komt sowieso
amper flora in mijn werk voor
van de meeste planten
weet ik niet eens de naam

daarbij is het geen gezicht
hoe jij
na drie nachten coke snuiven
aan de keukentafel zit
met een bloedneus

Vlak voor er iets knapte

ik kan eigenlijk de deur niet uit
als ik de avond ervoor ben doorgezakt

ik kom zelden buiten

angst is de zekerheid dat ik boven een afgrond balanceer
de zekerheid dat ik te pletter zal vallen
niet wetend wanneer
ook als het niet zo is

drank tempert
de kater verergert

daar proosten we dan maar op / ontoereikende zelfmedicatie
elke dag moet je toch maar weer zien door te komen

als een wolf die bloed ruikt schroef ik de dop van de fles

klein in de mallemolen van het dagelijkse gezinsleven

tell my wife I love her very much, she knows

mijn gestel rammelt als een stadsbus
met zwiepende staart zei mijn toenmalige geliefde
refererend aan het achterspatbord

dat is alweer zo lang geleden
ik was een naïef studentje
wat wist ik van leven

ik kan er niet meer bij
dat ik ooit die jongen was

natuurlijk waren er mooie momenten
maar ik zou die tijd niet per se over willen doen
alleen de overvloed aan seks mis ik
niet het gedoe dat erbij kwam kijken
en dat men gemakshalve liefde noemt

pas sinds ik kinderen heb ken ik de betekenis
die schone geur van eeuwige beklemming

mijn gestel sopt als natte voeten in gympen

Met uitzicht op een blinde muur

ik begrijp al die brandhaarden in de wereld wel
er is zoveel schoonheid dat het onmogelijk is
voor een sterveling
om daarmee om te gaan
schoonheid intimiderend als de onafhankelijkheid van een vrouw

de gebeurtenissen van vandaag zijn de films van morgen

het snot op mijn shirt is hard geworden
en glinstert als kristal

immer weer laat ik me betoveren
door mystieke zigeunerinnenogen
met een waas voor de kop
blindelings rammend
als popeye voor zijn olijfje
al weet ik dat het op niets uitloopt

verliefd op verliefdheid
liefde slechts begoocheling

nadat mijn geliefde op zaterdag met de kinderen naar de speeltuin is gegaan
zoek ik op internet naar formules om alle vrouwen op de knieën te krijgen
hoewel ik ook wel weet dat die niet bestaan dat het op niets uitdraait
uiteindelijk gewoon weer zitten rukken op oostblokporno
lekker goedkoop in meerdere opzichten
pas in de namiddag gedoucht

later in het restaurant vroeg de ober
wie is de biefstuk
ik zag weer de pollepel op blanke billen petsen
en nam gulzig slokken rode wijn
mijn vriend de biefstuk wilde de biefstuk medium

voor hetzelfde gemak was ik een dakloze geweest
die gevraagd zou worden in een musical te spelen
aapjes kijken met heroïnejunks gesubsidieerd door de staat

als ik kon gaf ik alle geleende tijd terug
het hier en nu gaat met eenieder aan de haal

getrouwd twee kinderen hypotheek

ik ken de feiten
maar dat is dan ook zo'n beetje alles
wat ik van mezelf weet

knarsetander nagelbijter vingerknakker
verzamelaar van dronkenschappen

meester meester
dit is een smeekbede smeken om genade om onze eigen troep
oersoep woestijnroep het schoonvegen van onze eigen stoep
een beroep op hoe het verder moet
met moederaarde die grande dame dat verschrompelde besje
met de duvel en zijn ouwe moer geouwehoer
zijn wij voorgoed gevloerd voor eeuwig een wig gedreven
met hoe het verder moet weggedreven frans geef ons een glimp
een glimp een glimp een glimp
boerenwijsheid uit oma's tijd boeddha's wijsheid eigen wijsheid eerst
eigenwijs een pakkend wijsje niet met het belerende vingertje wijzen
houd ons een smakelijke worst voor werp een smakelijk been
geen dood vlees – *meat is murder* – maar levend om te liefkozen
behapbaar en glutenvrij opdat wij leren hoe het verder moet
met het reduceren van de parasitaire afdruk van onze kolossenvoet
een glimp frans geef ons een glimp
een glimp een glimp een glimp
alles verkeerd gemankeerd een glimp frans een tip
tip van een speer

De agressieve spiegel

stop nou toch eens met die overstromende verbeelding

vooruit willen maar de ijdelheid is een boemerang en raakt me vol in het gezicht
vooruit willen maar de gierigheid is een boemerang en raakt me vol in het gezicht
vooruit willen maar de wellust is een boemerang en raakt me vol in het gezicht
vooruit willen maar de afgunst is een boemerang en raakt me vol in het gezicht
vooruit willen maar de onmatigheid is een boemerang en raakt me vol in het gezicht
vooruit willen maar de gramschap is een boemerang en raakt me vol in het gezicht
vooruit willen maar de luiheid is een boemerang en raakt me vol in het gezicht
zo ook het gezin en het dagdromen en de drankzucht en de angst en het verlies
vaak ben ik al opgelucht als het me lukt om koffie te zetten zonder de waanzin
op goede dagen kan ik zelfs een glimlach opzetten en zegt mijn spiegelbeeld

wees welkom

nog een keer   allemaal

vooruit willen maar de ijdelheid is een polonaise immer hetzelfde rondje in het buurthuis
willen maar de gierigheid is een polonaise immer hetzelfde rondje in het buurthuis
willen maar de wellust is een polonaise immer hetzelfde in het buurthuis
willen maar de afgunst is een polonaise immer hetzelfde buurthuis
willen maar de onmatigheid is een polonaise immer hetzelfde
willen maar de gramschap is immer hetzelfde
willen maar de luiheid is immer
prins carnaval van het gezin en het dagdromen en de drankzucht en de angst en het verlies
vaak ben ik alleen maar bezig met de knop omzetten middels bierinname tegen waanzin
in goede nachten kan ik zelfs vergeten dat ik   ja wat eigenlijk

wees

Een prettig gesprek

I

dat je je ex-vriend in een cactus hebt veranderd
en die cactus op zolder hebt gezet
daar kan ik mee leven

zoals hij daar verstijfd staat
als een onmachtige jezus in het wilde westen
met die stekels die even uniek gerangschikt zijn
als de kleuren van onze irissen
zonnestelsels an sich

(zonnestelsels als caleidoscopen
zoals ik die zag tijdens mijn mescalineperiode)

vind ik mooi
werkelijk waar

in die gigantische pot
is dat nou keramiek?
die fijne barstjes in die donkerblauwe kleur

echt schitterend

en dan heb ik het nog niet eens gehad over die opgedroogde aarde
lichtbruin of hoe noem je die kleur precies?
als een microwoestijn
waarin nog diepere scheuren zitten dan in de pot eromheen

ik kom graag op de zolder waar die cactus staat
ik kan er lekker werken of aan de kleine generaal snokken op internetporno
– dat is vast zielig, maar dan is iedereen zielig
dan moet je maar vaker met mij –

het probleem is: hij houdt zijn mond niet
en als hij nou eens mooie verhalen vertelde
over romances of hartverscheurende humaniteit
dan was het misschien niet eens zo'n gedoe
maar hij brult als een demagoog
en hij weet alles beter

dat zijn onvrijwillige transformatie wel bewijst dat er meer is tussen hemel en aarde
dat ik daarom niet zomaar god moet ontkennen
die verlichtingsgedachte is zo zeventiende eeuw
en dat ik toen echt niet had willen leven
ze hadden toen niet eens geasfalteerde wegen
en dat het trouwens hitler was die de snelwegen gemeengoed maakte
salonfähig voor het klootjesvolk *so to speak*
en dat hij ook zo'n goddeloze was en het gepersonifieerde kwaad bovendien
etc.

dat gaat me te ver

II

ik ontken god niet
ik verwijs hem simpelweg naar het land der fabelen
daar waar die quatsch thuishoort
net als trollen, zombies en vrouwen die met me willen neuken op het eerste gezicht
– van zeemeerminnen weet ik het zo net nog niet –
en aan een metamorfose meer of minder is de literatuur nog niet bezweken

nou zeg dat maar niet tegen hem
want dan – *unleash the fury* – gaat hij pas echt helemaal los

dan wil ik echt een one arm bandit van hem maken
in plaats van die cowboyjezus die hij nu is
door een arm van hem af te hakken

ik snap niet wat je ooit in die ouwehoer met zijn slappe gelul zag
soms ben ik bang dat jouw keuzes uit het verleden ook iets over mij in het hier en
nu zeggen

Te veel

wanneer het tomeloze plezier van dronkenschappen is verdwenen
sssssstt
die euforie van blijdschap leeggelopen als een ballon
wat is dan de moeite waard nadat je je ogen hebt geopend
en je koffie hebt gedronken? de dag voor je als een onneembare vesting

kan iemand mij zingeving geven?
dan is het leven toch niet meer dan een aaneenschakeling van alcoholvrije katers
gewoontegang en deceptie?

misschien moet ik mijn eigen staat oprichten
een vreedzaam land
waar de staatsreligie pastafarianisme is
en vrije liefde toegestaan
met instemming van alle betrokken

het moet wonderschoon worden
maar ik weet niet waarmee
het lukt me niet iets te verzinnen
het moet in ieder geval aan de kust zijn
een eiland lijkt me ideaal
en veel zon maar niet die kankerverwekkende
bergen en/of bossen zijn optioneel

sowieso bij wie moet je zijn om zo'n stuk land te claimen?
en het papierwerk dat dat oplevert
het is me te veel
ik moet er niet aan denken

Die middag opgesloten op het hoge balkon

de deur viel dicht en in het slot
natuurlijk was het guur
de dwanggedachte te springen
maar niet willen springen
hoeveel ingewanden zullen er dan niet op de tegels tot moes slaan

overwegen om een ruit in te tikken
maar die niet intikken
want dan zouden de mensen kunnen zien dat ik in paniek ben
wat is daar erg aan?
ik ben in paniek
ik ben altijd in paniek
behalve als ik drink

de katers verergeren de paniek
gewoon doorheen drinken

die net onder de oppervlakte (dat heet onderhuidse)
sluimerende immer dreigende paniek
kan die niet in een zoete zachtmoedige paniek transformeren?
zodat ik er een soort van op kan meewiegen

     ik mag trouwens niet meer drinken van de dokter
     iets met te veel ijzer in mijn bloed
     dat zich ophoopt in mijn lever
     waardoor hij uiteindelijk zal uitvallen
     ze hadden sowieso wat vlekjes gezien
     waardoor ik weer de mri in moet
     voor foto's met meer contrast
     ook een kleine ruimte

     ik heb het niet zo op die magnetische buis
     ik ben geen exhibitionist van mijn innerlijk
     de artsen leggen daarbij enkel nadruk op de lelijke zaken

     daar ga ik mezelf niet mee vervelen (ik zit in de ontkenningsfase)

zie mij toch staan bibberend als een omgekeerde romeo
een batman met hoogtevrees en een hijgende kippentorso

een liedje zingen
dat kalmeert toch?
kom van dat dak af
waarom is dat nu het enige dat me te binnen schiet
wat een gruwel
het liedje staat in mijn hoofd op repeat
ik heb geen brein

rustig op de grond gaan liggen
maar dat toch te raar vinden
dus wiebelend zitten op het aanwezige klapstoeltje
en wachten
rillend maar niet van de koude
en wachten
elke minuut een uur
en wachten
en maar wachten

Na het bezoek aan mijn behandelend arts

er gaat niet veel verloren na mijn sterven
een paar anekdotes over dronkenschappen en wat gefriemel tussen de lakens

ik kan sushi en vietnamese loempia's rollen
maar er zijn altijd betere koks

ik heb een paar bediscussieerbare meningen over kunst
poëzie en muziek in het bijzonder

ik heb een handvol teksten geschreven
waar de overlevenden maar over moeten beslissen of die de moeite waard zijn

wellicht is mijn talent tot bewondering zonde om te verdwijnen
zeker wanneer ik eens iets nieuws ontdek

onvervangbaar is alleen mijn vermogen tot het liefhebben van mijn vrouw
samen met mijn vermogen tot het liefhebben van mijn kinderen

die laatste twee regels/verzen: ik weet niet of je die moet laten staan i.v.m. sentimen-
teel – maar dat kan ook bewust zijn natuurlijk
schrijft collegadichter karel ten haaf, met wie ik al jaren een bromance heb, volgens
mijn geliefde
dezelfde mening bleek dichter en redacteur willem jan van wijk later ook toegedaan

uit pure koppigheid laat ik die regels toch staan – lekker puh
ongeëvenaard is mijn koppigheid – dwingender dan goed voor me is
niemand zal treuren om het verdwijnen van die karaktereigenschap

Daniël

je bent een narcist of niet

Daniël heeft genoeg van al dat gedoe
die pislinke leeuwenkooi genaamd liefde
geef hem een ligbank en een fles de gordijnen dicht
hij weet niet meer hoe het was en wil zich dat ook niet herinneren
Daniël zou het liefst een karabijn hebben om elke ergernis af te knallen
zelfs in zijn hoofd paft en ploft het
niet stoer maar dat zal hem aan zijn reet roesten
dat is namelijk onbelangrijk
het gaat om ach gossie
de waarheid of nou ja in ieder geval Daniëls waarheid
er is geen opperwezen dus die kan hem hierop niet afrekenen
en iedereen leefde nog lang en gelukkig
If you're happy and you know it it's a sin
met Daniël als uitzondering want aan dat gedoe wil hij niet meedoen
elke dag heeft hij te veel gevoeld
meer opbrengen blijkt niet mogelijk
Daniël leeft in een hel Daniël is klaar
er zijn geen vijanden geen vrienden niemand
dat vindt Daniël vaak/meestal jammer hij voelt zich dan zo nietig
Daniël wil vrienden/mensen die hem/die hij nodig heeft voor als er iets gebeurt
Daniël kan niet meer dus gooit hij de deur open en trekt hij de gordijnen open

er verandert niets
was hij maar weer verliefd

DANKWOORD

Mijn dank gaat uit naar Marjan Felth, Karel ten Haaf, Elise Luijcx en Willem
Jan van Wijk voor alle waardevolle kritiek tijdens de totstandkoming van
deze bundel. Mijn dank gaat ook uit naar u, waarde lezer, voor de aanschaf
van dit boekwerk. Mocht u een soundtrack bij deze gedichten wensen, schaf
dan de platen van de Fuckups aan.

INHOUDSOPGAVE

Eerder verschenen van Daniël Dee bij Uitgeverij Passage:

Poëzie
3D, schetsjes van onvermogen
Koffiedik zingen
Monsterproof

Proza
Vrouwen en ik eerst
De zondige daad

Bloemlezingen
Vanuit de lucht
Kutgedichten (samen met Tsead Bruinja)
Klotengedichten (samen met Tsead Bruinja)
Meesterwerk
Ik proef iets wat bedorven is (samen met Alexis de Roode en Benne van der velde)

Vechtsport
K-1, van de schoonheid en de kracht (samen met Karel ten Haaf)
Peter Aerts, the Dutch Lumberjack (samen met Karel ten Haaf)